SO-AAZ-898

A Juan,
por todos estos años que me lleva soportando él a mí.

Un sincero agradecimiento a todos los amigos que me han ayudado con este libro, y en especial a Ana, Ánge-les, Asun, Begoña, Carolina, Carolyn, Clara, Cristina, Dolores, Leticia, Marisa, Magüi, Michele, Miriam, Paz y Susana por sus brillantes aportaciones y las de sus respectivos maridos.

Título: 50 cosas que no soporto de mi marido
Autora: Ana Galán
Ilustraciones: Pablo Matera

Dirección editorial: Raquel López Varela
Coordinación editorial: Ángeles Llamazares Álvarez
Diseño y maquetación: Pablo Matera

No está permitida la reproducción total o parcial de este libro, ni su tratamiento informático, ni la transmisión de ninguna forma o por cualquier medio, ya sea electrónico, mecánico, por fotocopia, por registro u otros métodos, sin el permiso previo y por escrito de los titulares del *Copyright*. Reservados todos los derechos, incluido el derecho de venta, alquiler, préstamo o cualquier otra forma de cesión del uso del ejemplar. La infracción de los derechos mencionados puede ser constitutiva de delito contra la propiedad intelectual (arts. 270 y ss. Código Penal). El Centro Español de Derechos Reprográficos (www.cedro.org) vela por el respeto de los citados derechos.

Copyright © Ana Galán
y EDITORIAL EVEREST, S. A.
Carretera León - La Coruña, km 5 - LEÓN
ISBN: 978-84-441-2041-6
Depósito Legal: LE: 14-2010
Printed in Spain - Impreso en España
EDITORIAL EVERGRÁFICAS, S. L.
Carretera León - La Coruña, km 5
LEÓN (ESPAÑA)

www.everest.es
Atención al cliente: 902 123 400

Advertencia

Evidentemente, este libro habla de hombres (y no precisamente bien) y, al escribirlo, no pude evitar utilizar ciertos términos, como pene y tetas. No solo eso; en algunas ocasiones la temática además me obligó a hacer comentarios jocosos, añadir chistes y contar anécdotas que podrían resultar algo feministas y tender a ridiculizar el género masculino.

Ahora que lo sabes, si piensas que al leerlo te vas a sentir ofendida (u ofendido), te recomiendo que no pases a la siguiente página.

¡Ja! ¡Sigues aquí!

Está bien.

Tú lo has querido.

Allá vamos...

CONTENIDO

9 Introducción

14 Hechos sobre los hombres

19 En la habitación

49 En casa

63 En el baño

77 En la cocina

93 Con los amigos

111 Con los hijos

125 De viaje

139 Esas cosas que dice (o que deja de decir)

147 Los regalos

155 ¡Su madre!

160 Otras manías

166 Nota de la autora

Introducción

Antes de empezar, creo que debería aclarar otro pequeño detalle: este libro en realidad no trata de mi marido, pero no porque sea perfecto y no tenga manías que me saquen de quicio. Qué va. ¡Claro que las tiene! La única razón por la que no va de él y doy todas estas explicaciones es porque quiero curarme en salud y evitar que, uno de estos días, le dé por escribir y saque una enciclopedia de ocho tomos con todas aquellas cosas que no soporta de mí.

Entonces, ¿de qué marido hablamos?
¡De todos!
Del tuyo y (un poco) del mío, del de la vecina, del de tus amigas y del de tus familiares; del marido gordo y del flaco (pero sobre todo del gordo), del rico y del pobre (aunque los ricos dan más de qué hablar), del feo y del guapo (que al igual que el ocelote, se encuentran en peligro de extinción); de los maridos de todas aquellas mujeres que están felizmente casadas y han querido compartir conmigo sus testimonios y protestas, y del de todas aquellas que no han querido hacerlo porque les parecía que era violar la intimidad de su hogar; del marido genérico, con las mismas malas costumbres que las de miles de millones de otros maridos porque en el fondo... a la hora de molestar, tienden a ser de lo menos original.

Este libro, sin embargo, no habla del ex-marido, del maltratador de mujeres, del pervertido (bueno, de ese un poco sí), del esquizofrénico, del abusón, ni del maníaco depresivo... esos tienen sus propios tomos en los libros de psiquiatría.

La información y las soluciones que se presentan aquí no solo no han sido comprobadas, sino que además no tienen ninguna base científica, ni ninguna importancia histórica o social. Solo pretenden entretener y que nos riamos un poco, no solo de ellos, sino también de nosotras mismas. Como comenté hace unas líneas, los testimonios que se recogen en este libro provienen de personas a las que las manías que les desesperan de sus parejas no son lo suficientemente importantes como para poner fin a su relación. Al fin y al cabo, todos sabemos qué equilibra la balanza y decidimos lo que nos compensa y lo que estamos dispuestos a aguantar. Como dijo una amiga mía, "con el bálsamo de los años (yo aquí habría dicho vaselina), esas pequeñas cosas pierden importancia", y cuando ganan importancia, el resultado es el divorcio.

Por otro lado, para intentar ser comprensiva y no hacerles responsables de todo, he conseguido encontrar un culpable para cada una de las situaciones que se describen: sus amigos, un trauma de infancia, la sociedad, un simple alarde de macho, nosotras mismas y, por supuesto, ¡su madre! Para identificarlo rápidamente, busca los siguientes iconos en cada capítulo:

A lo mejor te preguntas (o no) ¿y por qué 50 cosas y no 100 o 200? Pues mira, no tengo una explicación lógica. Es un número como otro cualquiera que me ha dado más de un quebradero de cabeza ya que, a la vez que escribía estas palabras que estás leyendo ahora, intentaba recopilar testimonios de hombres sobre las 50 cosas que no aguantan de sus mujeres, y la verdad, la verdad... es que por algún extraño motivo a las mujeres nos resulta más difícil llegar a las 50 que a los hombres... Pero eso yo no lo he escrito, ni tú lo has leído.

Y ahora sí, adelante, ya puedes adentrarte en la lectura y averiguar si tu marido es como muchos otros o es realmente un espécimen único y deberías considerar hablar con algún museo o institución científica. Si esta lista te resulta corta y quieres completarla y personalizarla, al final del libro tienes unas páginas en blanco en las que puedes añadir tus propios calvarios personales. Si necesitas más espacio, siempre puedes escribir con la letra muy pequeña o añadir más hojas en blanco, que debes grapar bien para que no se pierdan, o también te puedes poner en contacto conmigo y escribimos juntas la segunda parte.

HECHOS SOBRE LOS HOMBRES

PENSAMIENTOS PROFUNDOS
"Si no fuera por el matrimonio, los hombres andarían por la vida pensando que no cometen errores".

La comediante estadounidense (¿o se dice comedianta?) Rita Rudner, además de ser una mujer muy divertida, es muy observadora y tras años de experiencia, consiguió recopilar una serie de datos, pistas y consejos muy importantes sobre los hombres. TODOS los hombres. Tener en cuenta estos datos nos ayudará a comprender los comportamientos que vamos a describir más adelante. Estos son algunos de los más destacados:

Los hombres son personas que tienen una gran confianza en sí mismas. Mi marido tiene tanta confianza en sí mismo, que cuando ve algún deporte en la tele, cree que si se concentra lo suficiente puede incluso ayudar a su equipo. Si su equipo está en peligro, les da consejos desde el sofá. Si realmente está en peligro, yo dejo la línea del teléfono libre por si le llaman.

A todos los hombres les dan miedo los rizadores de pestañas. Yo duermo con uno debajo de la almohada en vez de una pistola.

¡GRRRR!

A los hombres les gusta ser los primeros en leer el periódico por la mañana. No ser los primeros les afecta a su estado psíquico.

La tintorería es un buen lugar para conocer hombres. Los que van normalmente tienen trabajo y se lavan.

¡ESO ES VELDAD!

Los hombres son sensibles a su manera. Si un hombre ha empezado un fuego y el último tronco no prende, se lo toma como algo personal.

Los hombres son lo suficientemente valientes como para ir a la guerra, pero no se atreven a hacerse la cera en las ingles.

Las mujeres se toman la ropa mucho más en serio que los hombres. Nunca he oído a un hombre decir en una fiesta: "¡Oh, no! ¡Acabo de ver a otro hombre con un esmoquin negro!"

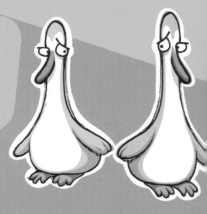

Si un hombre te dice "ya te llamaré" y no te llama, no se ha OLVIDADO, no ha PERDIDO tu número, ¡no se ha MUERTO! Sencillamente no quería llamarte.

Los hombres tienen muy mala memoria, por eso necesitan que les repitan las jugadas de los deportes, porque enseguida se olvidan de lo que ha pasado.

Si un hombre te prepara la cena y en la ensalada pone más de tres tipos de lechuga, quiere decir que realmente va en serio.

A los hombres les gustan los teléfonos con muchos botones y los relojes con múltiples funciones. Les hacen sentirse importantes.

¿TE ENTERAS?

PRIVADO

Nunca intentes enseñar a un hombre a hacer algo en público. Tiene que aprenderlo en privado; en público tienen que SABERLO.

EN LA HABITACIÓN

EL ABOMINABLE CESTO DE LA ROPA SUCIA

Desde hace ya muchos años, quizás siglos, en todas las casas hay un cesto para la ropa sucia. No es un concepto moderno ni innovador. Los hombres han vivido con él durante generaciones y generaciones, como uno de esos accesorios que no ha faltado nunca en sus hogares. Entonces, ¿por qué no lo ven? ¿Por qué son incapaces de distinguirlo de otros muebles y usarlo? ¿Es acaso algún temor de infancia? ¿Es que se escondieron de pequeños en el cesto jugando al escondite y se olvidaron de buscarlos? ¿Es la forma, el material lo que les asusta? Algunas mujeres me aseguran que sus maridos han conseguido superar esa fobia y ponen su ropa sucia en el cesto, eso sí... ¡siempre encima de la tapa! La evidencia confirma mis sospechas: en realidad, ellos quieren usarlo, pero les aterroriza lo que pueda suceder al abrirlo.

Moraleja: ¡Nunca compres un cesto con tapa!

CÓMO PASAR LAS PÁGINAS DE UNA REVISTA Y OTROS RUIDOS

En muchas parejas, suele haber uno al que le gusta leer en la cama y otro al que le gusta dormir (lo que no quiere decir que no le guste leer, sino que prefiere hacerlo en otro momento). Normalmente, el que lee en la cama se niega a usar una de esas linternitas tan monas que se ponen en los libros y no molestan nada, con lo que evitarían meterle la luz de 3000 vatios por los ojos a la pobre persona que está a su lado intentando conciliar el sueño. Resignada a dormir como si estuviera en plena luz del día, la mujer "deslumbrada" se da media vuelta, se pone un antifaz, se relaja, está a punto de quedarse dormida cuando de pronto...¡RASSSSSSSSSSS! su marido pasa la página de la revista como si estuviera lidiando una batalla campal con ella. Su mujer, sobresaltada, mira a ver qué ha pasado. Nada, era solo una página. Vuelve a darse la vuelta, vuelve a quedarse medio adormecida cuando.... ¡RASSSSSS! ¡Otra vez! ¡Una página detrás de otra hasta que se termina la maldita revista! Esos ademanes masculinos... esa prueba del dominio del hombre sobre la letra impresa... ¿son necesarios?... Desde luego, ¡así no hay quien duerma!

Prueba esto
Esconde los libros
y las revistas por la noche.
Si eso no da resultado,
prueba a desenchufar
la lámpara de la mesita
de noche. Él solo pensará
que no funciona.

23

VUELTAS DE ELEFANTE

"Mi marido tiene un tamaño bastante normal —comenta una mujer, refiriéndose al tamaño corporal de su marido y no al de ningún órgano o miembro en particular, de los cuales no me dio detalles—, pesa unos 80 kilos, está en forma, no es muy alto ni gordo (una mujer con suerte)... Cuando duerme apenas ronca (no con suerte, con muchísima suerte), pero cada vez que le da por darse la vuelta en la cama, ¡me da la sensación de estar durmiendo con un elefante!". Menos mal que no tenían un colchón de agua porque sino la pobre mujer habría salido disparada con las olas del maremoto.

Prueba esto

Llamé a una tienda de colchones y me dijeron que existen unos con una tecnología especial de muelles independientes que no transfieren el movimiento de un lugar a otro. Se llaman *Beauty Rest*, el descanso de la belleza...

25

ES CULPA DE SU MADRE

VAMOS A TIRAR TODO AL SUELO PORQUE MÁS ABAJO NO VA

Como todo el mundo sabe, cuando terminas de leer un periódico, una revista, o te cambias de ropa, lo mejor es tirarlo al suelo para que luego venga alguien detrás y lo recoja... Es cómodo, sencillo y hace que la casa tenga un aspecto limpio y ordenado. ¿A quién no le gusta encontrar calzoncillos y calcetines sucios por el suelo o alguna revista que otra? Además, no es nada insultante, qué va... Es un gesto muy amable por parte del que lo hace, que denota una gran consideración hacia las personas que viven con él.

Solución

Esto te lo agradecerá tu futura nuera algún día: si tienes hijos adolescentes y quieres prepararles para el futuro, cada vez que dejen tirada su ropa por el suelo, deja tus bragas en medio de su habitación. Si gritan, ponen cara de asco y rugen del horror, no te alteres, no contestes, simplemente sonríe y diles que dejarás de hacerlo el mismo día que ellos dejen de tirar las cosas al suelo.

Ojo: si intentas este procedimiento con tu marido, puede que lo entienda como una provocación, una llamada al sexo... Tú sabrás lo que haces...

¿HACER LA CAMA?
¿QUIÉN? ¿YO?

HECHO que debería ser **CIENTÍFICO**.
Al igual que hay personas que no distinguen los colores, los hombres son incapaces de distinguir la diferencia entre una cama hecha y otra sin hacer. Es una patología médica poco estudiada ya que no se han podido conseguir fondos para investigarla.

EJERCICIO PARA ÉL. DESCUBRE LAS SIETE DIFERENCIAS

Hay ciertas palabras que no existen en el vocabulario de los hombres, por muy eruditos que sean. Puede que haya autores que las hayan usado, pero probablemente lo hicieron de forma errónea y la editorial tuvo que corregirlas antes de publicar su manuscrito. Aquí tenemos unas cuantas:

Cubrecama
Lo que realmente es: tela que se pone encima de una cama.
Percepción del hombre: toda aquella actividad copulativa o de cubrimiento que se pueda hacer encima de la cama.

Cuadrante
Lo que realmente es: almohadón cuadrado.
Percepción del hombre: te cuadras y por delante.

Funda nórdica
Lo que realmente es: tela que cubre un edredón.
Percepción del hombre: condón para usar en invierno.

Nórdico de plumón
Lo que realmente es: edredón con plumas finas, generalmente de ganso.
Percepción del hombre: condón para gays que van soltando plumas.

Embozo
Lo que realmente es: la parte de la sábana de arriba que suele tener un bordado o acabado especial en el extremo y se dobla para que la cama quede más bonita y mejor hecha.
Percepción del hombre: alguna postura sexual que produce un gran gozo.

ES CULPA DE SU MADRE

ES CULPA DE SU MADRE

LA ROPA SE CUELGA SOLA

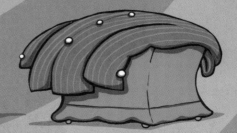

A los hombres les gustan más los libros de ciencia ficción que a las mujeres, tipo Star Trek, el Señor de los Anillos y otras obras por el estilo. Desde pequeños crecen leyendo este tipo de literatura en la que cualquier cosa puede suceder: monstruos que hablan el lenguaje de los humanos, teletransportaciones, naves espaciales con las que puedes viajar de una galaxia a otra... Es por lo tanto natural que a ellos no les resulte extraño que la ropa que dejaron en la silla la noche anterior cobrara vida mientras ellos estaban en la oficina, saliera volando y se colgara sola en el armario. Hay prendas que hasta se autoplanchan y se autodoblan antes de volver a guardarse. Los trajes de chaqueta tienen más poderes, pueden ir y volver solos a la tintorería. Es realmente ciencia ficción.

RIESGO DE CONGELACIÓN EN TU PROPIO CUARTO

¡¡BONITO DÍA!!

Dicen las malas lenguas que "no hay mujer fría sino hombre inexperto" y me temo que hay muchos hombres inexpertos sueltos por el mundo porque uno de los comentarios que he oído con más frecuencia de las mujeres es que por la noche se mueren de frío ya que sus maridos no quieren un edredón de plumas o insisten en dormir con la ventana abierta en invierno o en verano ponen el aire acondicionado como si estuvieran en el Polo Norte. ¡Luego se quejan de que nuestros pijamas no son sexy! ¡Pero es que con esas temperaturas solo se puede dormir en esquijama y con calcetines!

Prueba esto

"Yo cuando tengo los pies fríos en la cama, se los pongo a mi marido en las ingles. Al principio da un grito, pero una vez que se acostumbra se queda quieto y yo vuelvo a entrar en calor. Funciona siempre".

"No entiendo por qué siempre estás tan cansada", "Desde luego, te has levantado de un humor de perros", "Qué mala cara tienes", "Oye, te han salido ojeras" son expresiones que nunca saldrían de la boca de nadie ¡SI EL MUY DESGRACIADO DEJARA DE RONCARRRRRRRRR DE UNA MALDITA VEZ! Tú ahí en la cama, desvelada, tirándote de los pelos, a punto de taparle la cara con la almohada, después de hacer miles de ruiditos con la boca para ver si se calla, después de empujarle para ver si se da media vuelta, después de haberle tapado la nariz, esperando que empezara a respirar por la boca hasta que te das cuenta de que se está poniendo morado y sigue sin abrirla y quitas la mano sorprendida de su falta de instinto de supervivencia.... y él sigue tan ancho, espatarrado, con cara de felicidad, descansando y roncando cada vez más alto, ajeno al hecho de que ha despertado el demonio que tenías dentro y que su vida corre peligro. Antes de matarlo, ¿conseguiré convencerle de que duerma con escafandra?

35

SE BUSCA

SOLUCIÓN ANTIRRONQUIDOS QUE FUNCIONE

PREFERIBLEMENTE SIN DERRAMAMIENTO DE SANGRE...
PERO SE PROBARÁN TODAS LAS SUGERENCIAS.

¿Cuál es la diferencia entre una disolución y una solución?

Una **disolución** sería meter a tu marido en una bañera de ácido sulfúrico.

Una **solución** sería meterlos a todos.

¿VAS A SALIR ASÍ?

Hay muchos maridos que temen el momento en el que su mujer se empieza a vestir para salir a cenar. Les causa verdadera ansiedad, pero no porque les importe el resultado, sino porque nunca saben cuándo va a terminar. Esa es la razón por la que prefieren no opinar sobre la ropa. No se quieren arriesgar a que sus opiniones supongan una hora más de espera. Sin embargo, puedes intuir que lo que te has puesto no les gusta o te queda mal cuando te hacen comentarios tipo…

¿Vas a salir así? ¡Pero qué manía tienes de ponerte eso! ¿Y eso de dónde lo has sacado? ¡No me habías dicho que íbamos a una fiesta de disfraces! ¿Eso no te va un poco apretado?

A LOS HOMBRES NO LES GUSTA

- La ropa interior de color carne

- Los zapatos planos de tacón ancho y punta redonda

- Los sujetadores que abrochan por delante porque les confunden

- Una mujer con traje de chaqueta

- Los pinkis (esas medias que solo tapan los pies para los zapatos de verano)

Solución:
Si quieres tener una vida más feliz, nunca le preguntes a tu marido ¿Qué me pongo? ¿Qué tal me queda esto? ¿Me hace gorda? ¿Qué zapatos van mejor con este vestido? Sus respuestas no te llevarán a nada positivo.

VÍCTIMA DE LA SOCIEDAD

Porque lo que llevan las mujeres famosas por las que babean no les gusta en sus propias mujeres...

Nosotras sabemos muy bien que para satisfacer a una mujer, lo único que hay que hacer es mimarla, abrazarla, besarla, quererla, decirle cosas cariñosas, escucharla, acariciarla, jugar con ella, comprenderla, ayudarla, masajearla, incluirla, protegerla, agasajarla, entretenerla, respetarla, defenderla, hablar con ella, cantarle canciones de amor, animarla, perdonarla, engatusarla, susurrarle al oído, contar con ella, mordisquearla, tocarla, calmarla, relajarla, halagarla, admirarla, no llevarle la contraria y amarla una y otra vez.

¡QUE ME DUELE LA CABEZA!

Para satisfacer a un hombre, lo único que tienes que hacer es aparecer en pelotas.

Así de sencillo. Un hombre SIEMPRE lleva el arma cargada y está listo para la guerra, donde sea y cuando sea. Nunca subestimes su capacidad de ponerse firmes (por eso de seguir con la metáfora militar) en cualquier momento. Aunque vengan de un funeral, aunque les haya ido muy mal en la oficina (sobre todo si les ha ido muy mal en la oficina), aunque les haya sentado mal la cena, aunque por la noche tu hijo pequeño esté llamando a la puerta de tu habitación porque tiene miedo y ha oído ruidos… Si tú te dejas y bajas la guardia, ellos entran con todas las tropas.

41

Un día, Dios se encontró a Adán y le dijo:

—Oye, Adán, tengo que darte una noticia buena y una mala.

—Dime la buena primero —contestó Adán.

—Pues mira, te tengo preparados dos órganos nuevos. Uno se llama cerebro y te dará sabiduría, te permitirá pensar, aprender, crear cosas y mantener una conversación inteligente con Eva. El otro órgano que te he preparado se llama pene. Con él podrás reproducirte y, como ahora tienes cerebro, podrás poblar la Tierra de seres inteligentes como tú. A Eva también le gustará este órgano para poder tener hijos.

—¡Ay, Dios, qué grandes dones me das! —dijo Adán emocionado—. Después de todo esto que me has contado, ¿qué noticia puede ser mala?

Dios miró a Adán apesadumbrado.

—Mira, el problema es que cuando te creé, solo te di la suficiente sangre para operar uno de estos dos órganos a la vez.

43

¿Has visto mi camisa de rayas?

ES CULPA DE SU MADRE

¡Ohhh esa ropa que desaparece y aparece como por arte de magia! Si tienes una señora de la limpieza, aunque tú sepas muy bien que es fantástica, lleva la ropa al día y lo guarda todo en su sitio una vez lavado y planchado, sabrás que será acusada por la sección masculina de tu familia (sí, incluidos los niños que aprenden desde pequeñitos) de haber escondido la corbata azul de puntitos, o "la camisa blanca que me quería poner para la reunión de hoy"; sabrás que ella es la responsable de la mancha de vino tinto en los pantalones y de la desaparición de los calcetines de deporte que "eché a lavar hace más de un mes y todavía no han vuelto" (a pesar de que, como ya sabemos, "eché a lavar" es una frase en sentido figurativo).

Puede que, como muchas otras parejas, en tu casa también hayas vivido experiencias sorprendentes y sobrenaturales, como cuando de repente oyes "María, no encuentro mi chaqueta azul por ninguna parte" y cuando tú abres la puerta del armario, te das con ella en las narices. Tú sabes que él la buscó muy bien antes de preguntar y no te cabe duda que cuando él miró, la chaqueta no estaba ahí. ¡Esas prendas son así, están hechas de un material especial que a veces les permite hacerse invisibles! De verdad, que le pasa a mucha gente…

¡GRRRR!

Solución
Ante la pregunta ¿has visto esto o lo otro? solo tienes que contestar "sí" o "no" y seguir a lo tuyo. Así de simple.

¡Si es un perro te muerde!

CHISTE

¿Cómo se llama la parte poco sensible que hay en la base del pene?

El Hombre

EN CASA

¿QUIÉN TIENE EL CONTROL EN LA MANO?

Fíjate en la forma que tiene el mando a distancia. Fíjate en cómo lo agarra tu marido, con ese gran semblante, esa seguridad que le infunde el tenerlo entre sus manos, el poder de apuntar con él y apretarlo justo en el momento en el que tú estabas más metida en la película. Y así una y otra vez, erre que erre. Clic. Clic. Clic. Ahora el fútbol, ahora la película; ahora las noticias, ahora más fútbol. ¿Una película romántica? Clic ¿Una serie interesante? Clic ¿Patinaje sobre hielo? Clic ¿Una película donde sale Angelina Jolie desnuda? "Dolores, por favor, ¡tráeme una cerveza!"

No te quedes atrás. Cuando tengas un rato libre y no haya nadie en tu casa, ¡aprende a programar el vídeo y buscar los canales tú misma! Si es necesario, consulta a un experto. Seguro que tiene que haber una forma de programar la televisión para que solo salgan los canales que a ti te gustan.

Solución

He oído de una mujer que cuando su marido no quiere acompañarla a hacer la compra, se lleva el mando en el bolso, así le obliga a hacer algo de ejercicio mientras ella no está.

En un mundo ideal, cada miembro de una pareja debería tener su propia televisión y su propio cuarto de baño.

¿Alguna vez le has hecho una pregunta a tu marido mientras estaba en medio de alguna actividad —como ver la tele, intentar arreglar el grifo que gotea o rellenar la nevera con cervezas— y te ha ignorado por completo?

Tranquila, no te ofendas. Esta vez no es culpa de él. Tu marido realmente no te quiere ignorar, nunca haría algo así, sencillamente no tiene la capacidad física para realizar más de una actividad a la vez.

Según una investigación que llevó a cabo el Dr. Glenn Wilson para Hewlett Packard, el índice de inteligencia (IQ) de una persona baja 10 puntos cuando realiza diversas actividades a la vez. Si quieres hacerte una idea de cuánto es esto: si fumas marihuana, el índice baja 4 puntos. El caso es que en este estudio, el Dr. Wilson descubrió que esas bajadas de inteligencia son más grandes en los hombres que en las mujeres.

Por otro lado, varios estudios de resonancia magnética demostraron que el tamaño del cuerpo calloso, que no está en los pies, sino en el cerebro y es la parte que comunica los hemisferios cerebrales derecho e izquierdo, es más ancho en las mujeres que en los hombres, lo que hace que estas sinteticen mejor la información recibida en ambos lados del cerebro y sean capaces de realizar varias actividades a la vez con mayor facilidad que los hombres.

Por lo tanto, es un defecto físico y no estaría bien que en este caso hiciéramos bromas o nos metiéramos con ellos.

¿CÓMO?

Solución
Si quieres que tu marido te escuche, pídele que te mire a los ojos y que no haga nada más.

TIEMPO PARA SUS (MÚLTIPLES) AFICIONES

Golf, fútbol, fotografía, caza, pesca, grupo de música, coches, pintura, gimnasio, puros, amigos y amigotes, bicicleta, siestas, motos... los hombres tienen muchas aficiones, ¡y las practican! Todos los fines de semana dedican tiempo a sus hobbies, pase lo que pase, tengas o no (sus) invitados a cenar en casa o una cita con el pediatra de tu hijo (que en ese momento solo es hijo tuyo) o haya que esperar al fontanero porque al final no fue capaz de arreglar esa gotera... Lo hacen porque les relaja, porque han tenido una semana muy estresante en la oficina, porque necesitan desconectar, porque para ellos es muy importante conservar su independencia, sus cosas...

Añade aquí lo que estás pensando en estos momentos.

(_____)

Conozco muy pocas mujeres que tengan aficiones. Normalmente están demasiado ocupadas con el trabajo y los temas de su casa como para poder tomarse unas horas libres y relajarse haciendo algo que les guste. De hecho, ¡muchas ni siquiera saben lo que les gusta!

Chicas, ¡es hora de cuidarse y buscar —y encontrar— tiempo libre! Aquí tienes sugerencias de actividades que podrías hacer para alejarte de la rutina hogareña: lucha libre, pilates, tiro con arco, perfeccionamiento del bronceado, masajes, películas que no sean de Disney, paseos sin niños, paracaidismo, exploración de cuevas, buceo... ¡Las opciones son infinitas!

¡PERO SI ES SOLO UN RESFRIADO!

TRAUMA INFANTIL

Las mujeres se hacen la cera, después se quitan los pelos que quedan con pinzas, tienen el engorroso periodo todos los meses, se someten a mamografías aplastantes y dolorosas, gestan y dan a luz a sus hijos, sienten como si el pecho les fuera a reventar cuando les sube la leche, si se ponen enfermas aguantan estoicamente porque saben que no pueden llamar a la oficina de la maternidad y decir que no pueden ir a trabajar ese día.

Los hombres... cómo lo diría yo... Los hombres, no.

Afortunadamente, la gran mayoría de los hombres no se enferma con frecuencia, pero cuando lo hacen y pillan un simple catarro, cualquiera pensaría que están a punto de estirar la pata. Se encuentran débiles y necesitados de cariño y cuidados continuos: un poquito de sopa de pollo, pásame el periódico, tráeme las gafas, apaga la luz ya que estás ahí, un poco de agua, ahora las medicinas, otra manta, acércame el teléfono… ¡AAAAHHHH!

¿CÓMO ANDA MI SUEGRA PREFERIDA?

Esta vez hay una solución. Cuando se ponga enfermo, ¡que lo aguante… SU MADRE! Literalmente. Esta es la ÚNICA ocasión en la que debes invitar a tu suegra a casa, para que ella se encargue de su hijo. Dile que su tocinito de cielo (por eso del tocinito) la necesita (la palabra "necesitar" es clave), que tú no sabes hacer esa sopa de pollo tan rica que hace ella y que además, no puedes encargarte de su pobre y adoleciente retoño porque resulta que tienes una convención de física cuántica en Pernambuco o un curso intensivo, de 7:00 a 20:00, de hermeneumática. No te preocupes por lo que vaya a pensar de ti. En realidad, ella ya está convencida de que tú no eras la mujer que se merecía su hijo, que él vale mucho más, así que esa parte ya la tienes cubierta.

¿POR QUÉ CUANDO SALGO A CENAR CON MIS AMIGAS TENGO QUE DEJAR LA CENA PREPARADA EN CASA?

Si algún día me aficiono a la caza, al primero que me pienso cargar es a ese repelente de Pepito Grillo que no me deja tranquila y se empeña en fastidiarme los escasos momentos que tengo de ocio. Sí, ya sabes, esa voz de la conciencia que nos debió de instalar el médico (que por supuesto era hombre...) al nacer y la eligió con voz e intereses masculinos... Nunca he oído a mi conciencia decir cosas como: "nada, tú vete tranquila que ya se encargará él de todo", "no, no llames, ¿para qué? si no pasa nada", "no te preocupes, aunque no haya nada en la nevera, seguro que se le ocurrirá algo o sino, que baje al súper en un momento"... Me pregunto si es demasiado tarde para cambiarla y que me den una de esas que piense más en mí.

MEA CULPA EST

"HABRÍA QUE"
y el uso de otros tiempos verbales

El uso masculino de los tiempos verbales es muy peculiar. Por ejemplo, en ciertas ocasiones utilizan formas verbales que no tienen un sujeto específico:

Hay que llamar al fontanero.
Habría que pintar la casa.
En esta casa no hay quien lea el periódico.

Otras veces recurren a la primera persona del plural en todos sus usos. Según la RAE (Real Academia Española), hay tres maneras en las que se puede usar esta forma verbal. Los hombres dominan las tres:

Plural de modestia: cuando alguien no quiere darse importancia.
Ejemplo: Deberíamos sacar los billetes de avión.

Plural mayestático: para expresar la autoridad y dignidad de reyes.
Ejemplo: Vaya, parece que estamos engordando.

Plural sociativo: cuando se implica al hablante de forma afectiva.
Ejemplo: ¿Este mes no nos vamos a depilar las piernas o qué?

Las mujeres no tenemos que darnos por aludidas cuando recurran a estos usos del lenguaje y podemos ignorar cualquier forma verbal que no vaya dirigida directamente hacia nosotras.

EN EL BAÑO

LA MISTERIOSA TAPA DEL INODORO

Entras tú y cierras la tapa; entra él y la deja abierta; tú la cierras, él la abre, cerrada, abierta, cerrada, abierta, y así día tras día, año tras año... ¡y no lo entiende! ¿Realmente es tan difícil?

ES CULPA DE SU MADRE

Hay muchas razones por las que se debe cerrar la tapa del inodoro, aquí van diez para empezar:

1 Para evitar que se te caiga el móvil dentro.

2 Porque si hacen una tapa, es porque hay que taparlo; sino los fabricarían sin tapa.

3 Para dar a algunas personas la posibilidad de realizarse como decoradoras y poner esas espantosas tapas con motivos acuáticos a juego con la jabonera y la cortina de la ducha.

4 Para que no salgan los olores.

5 Para poder sentarte.

6 Para dejar la ropa encima mientras te duchas.

7 Para que el perro no se beba el agua.

8 Para que los niños pequeños no metan las manos.

9 Para no ver la porquería de los que todavía no han aprendido a usar la escobilla.

10 Para no tener que ver las asquerosas gotas amarillas que dejan ciertos individuos que hacen pis de pie y no saben apuntar.

Solución
Sugiero pegar en la parte de dentro de la tapa un espejo de esos que hacen que todo se vea más pequeño. Quizás así, cuando los hombres vean el reflejo de su miembro más preciado empequeñecido, cerrarán la tapa horrorizados y no se atreverán a dejarla abierta.

65

LA DESAPARICIÓN DE LA TAPA DE LA PASTA DE DIENTES

Seis cosas; eso es todo lo que la mayoría de los hombres tiene en la repisa del cuarto de baño: maquinilla y espuma de afeitar, loción para después del afeitado, cepillo y pasta de dientes y desodorante. Aparentemente con eso cubren sus necesidades estéticas (porque obviamente aquí no mencionamos el crecepelo, la crema de las hemorroides, las pinzas para quitarse el entrecejo, las pastillas para los gases y las pastillas de Viagra, que suelen —o deben— estar un poco más escondidas). El caso es que las comunes son seis, pero ¿cómo es que siendo tan pocas se pierden o están siempre por el medio, gotean, chorrean, manchan, apestan o sencillamente se quedan sin tapa? ¿Y dónde ha ido a parar esa tapa? ¿Hay algo que no sabemos? ¿Una sociedad secreta de usos misteriosos de la tapa de la pasta de dientes? Las investigaciones continúan.

ES CULPA DE SU MADRE

66

¡LA TAPITA!

SE BUSCA

**RESPONDE AL NOMBRE DE
"TAPA DE PASTA DE DIENTES"
SE LA VIO POR ÚLTIMA VEZ EN EL BAÑO,
IBA DE BLANCO Y LLEVABA
UN PAR DE DÍAS EN CASA**

¡¡LA TAPITA!!

LAS TOALLAS ARRUGADAS Y MOJADAS SE SECAN SOLAS

ES CULPA DE SU MADRE

¡Nooooooo! ¡Resiste la tentación! ¡No recojas esa toalla empapada que ha tirado al suelo! Déjala ahí a secar veinticuatro horas. No te preocupes, nadie más que tú la va a ver. A la mañana siguiente, antes de que él se meta en el baño, procura quitar la toalla de manos y deja solo la del bidé. Después, aléjate del cuarto de baño para no poder oír los gritos de "¡LA TOALLA! ¡QUE ALGUIEN ME PASE LA TOALLA!" Si haces esto, conseguirás que tu marido se sienta como un verdadero Adán que ha vuelto al Edén con su hojita de parra antes de que llegara Eva: mojado, frío y solo.

70

Ojo: Si tu cuarto de baño no está dentro de la habitación, corres el riesgo de que la imagen de tu marido en pelotas, tapado tan solo con la toallita del bidé, provoque la dimisión de la señora de la limpieza, cause un trauma irreversible en las amigas de tus hijas que se han quedado a dormir en casa, con la subsiguiente llamada de sus padres, y puede que ocasione grandes charcos en el cuarto de baño. Pero por lo demás, resulta de lo más entretenido.

GRANDES LECTURAS

VÍCTIMA DE LA SOCIEDAD

Revistas de coches, catálogos, libros, cómics, la etiqueta de la botella de champú, el periódico y —¿quién sabe?— a lo mejor hasta este libro que tienes en las manos... nada escapa a la lectura intelectual del hombre en su trono, a esa sesión no inodora de más de veinte minutos de acaparamiento de cuarto de baño. Parece ser que esta curiosa forma de instruirse, con los calzoncillos a la altura de los tobillos, data de la época de los romanos, que ponían bibliotecas llenas de pergaminos en sus baños. Con el paso de los años, el hombre no solo ha preservado esta tradición cultural sino que además la ha perfeccionado y alargado al incorporar el uso de iPods, teléfonos inalámbricos, ordenadores portátiles y papel higiénico suave. ¿Es que no saben que el estar ahí sentado con el culo al aire produce inflamación de las hemorroides en su cuerpo y de las narices del resto de la familia?

¡CUATRO PÁGINAS!

¿TE FALTA MUCHO?

GRANDES PESTES

ALARDE DE MACHO

Te tienes que arreglar y todas tus cremas, maquillaje, cepillos y demás están en el cuarto de baño, o estás lista para ir a la cama y solo te queda lavarte los dientes, pero llevas más de media hora esperando a que el dichoso baño se quede libre porque alguien que ya mencionamos antes se dedica a instruirse y leer *Las mil y una noches* ahí dentro. Por fin se abre la puerta y sale tu marido con esa cara de "¿Qué? ¿Qué pasa? ¿Por qué me miras así?", le fusilas con la mirada, cruzas la puerta y cuando ya estás a punto de dar otro paso... ¡¡SOCORRO!! ¡BOMBA FÉTIDA! ¿Pero qué tipo de bestia salvaje ha podido dejar una peste así? ¿Qué ser humano ha podido resistir más de un minuto ahí dentro sin perder el conocimiento? ¿Estará podrido por dentro? ¿Y para qué has puesto tú esas velas aromáticas en el baño? ¿Para hacer espiritismo? ¡Necesitas urgentemente una máscara de gas! Aunque me temo que con ella no te podrás maquillar ni lavarte los dientes.

EN LA COCINA

Curiosamente, jamás he oído las siguientes frases o preguntas en boca de una mujer: ¿Qué hay de cena? ¿Cuánto falta para comer? ¡Otra vez lentejas! ¡Este filete está como una suela de zapato! ¡Todas las semanas lo mismo! ¿Te ayudo a poner la mesa? Voy a ver las noticias mientras se termina la cena, ¿Qué se puede comer mientras se hace la comida?

El "se hace" y "se termina" se refiere a un tipo de comida especial que "se cocina" sola, pero todavía no he sido capaz de encontrarla en el supermercado.

No hay nada como llegar de trabajar y ponerte a ver la tele con una cervecita en la mano y un buen aperitivo mientras en la cocina las cebollas "se pelan", las patatas "se fríen", la carne "se hace" a la plancha, la ensalada "se prepara", los niños "se bañan", los deberes del colegio "se acaban" y la mesa "se pone". Cuando todo esté listo y te sientes a la mesa, no olvides comentar que no hay pan.

¿DÓNDE ESTÁ LA MANTEQUILLA?
Y OTRAS PREGUNTAS ABSURDAS

El hombre, el cazador, el independiente, esa persona incapaz de preguntar cómo se llega a los sitios, el ser inteligente cuyos congéneres han sido capaces de descubrir la penicilina, inventar el teléfono, subir al Everest y formular la teoría de la relatividad, entre otras, no tiene ningún problema en reconocer que al abrir la nevera es incapaz de encontrar la mantequilla, o la mayonesa o cosas incluso más grandes, como la leche. Qué humildad. Cuánto les debe de costar admitirlo. Ante tal sinceridad y para no herir más su ego, la mujer nunca debería buscar en la nevera después de que él haya fracasado en su búsqueda, ni mucho menos encontrar en dos segundos lo que su marido no pudo ver. Ante una pregunta tipo ¿tienes idea de dónde puede estar el queso? la respuesta más solidaria y compasiva, sería: "No, ni idea".

Tenemos que tener en cuenta que gran parte de las ideas del hombre le vienen por asociación. Si un objeto o imagen les lleva a otras, se le pueden ocurrir teorías geniales, como le pasó a Newton con la manzana y la gravedad.

Pero cuando los objetos se salen de la línea de deducción lógica que tienen en la mente, como por ejemplo, el lugar donde puede estar la mantequilla, su cerebro les impide procesar esa información y localizarlos.

Para poder entender mejor, aquí ilustramos varias líneas de deducción del cerebro del hombre, sin incluir las que acaban con pensamientos lascivos, porque en realidad podrían ser todas y resultaría repetitivo.

NEVERA → HIELO → WHISKY → AMIGOS → **FÚTBOL**

FUEGO → CACEROLAS → COMIDA → PLATOS SUCIOS → **SIESTA**

ALCACHOFAS → NIÑO QUE NO COME → MUJER QUE GRITA → SUBIR VOLUMEN AL TV. → **FÚTBOL**

PENSAMIENTOS PROFUNDOS

El hombre soltero
es un animal incompleto
y cuando se casa
pasa a ser
un completo animal.

ALERGIA AL LAVAPLATOS

La alergia al lavaplatos es una enfermedad bastante generalizada en los maridos, que evitan el contacto directo a toda costa. Algunos puede que se acerquen a las inmediaciones de dicho electrodoméstico y sean capaces de poner los vasos y platos sucios a escasos centímetros de este, pero una fuerza superior les impide abrirlo y meterlos dentro. El vaciarlo es algo que ni se plantean, porque ¿cómo van a pensar en vaciar algo que no se ha llenado?

ES CULPA DE SU MADRE

Cualquiera hubiera pensado que el lavaplatos les habría parecido una máquina interesante, ya que posee atributos que normalmente les resultan atractivos: es eléctrico, escupe agua, se calienta y tiene botones y un motor que hace ruido. Sin embargo, tiene dos grandes defectos de fabricación: carece de volante y mando a distancia.

JUGAR A COCINAR ES DIVERTIDO

Cocinar puede parecer divertido si no lo tienes que hacer por obligación todos los días ni tienes que pensar en los menús para toda la semana.

A los hombres, para demostrar lo comprensivos que son y lo sencillo que es cocinar, a veces les da por hacerlo ellos mismos.

Existen varias modalidades de maridos en la cocina:

El marido cirujano, que espera que sus ayudantes le vayan preparando y pasando todos los ingredientes, mientras él mantiene su delicada y crucial posición frente al fuego y va añadiendo los distintos elementos con gran precisión. Suele usar delantal porque piensa que le da un aspecto más profesional, aunque el delantal tenga lunares y volantes. Sus platos suelen salir muy bien puesto que cuenta con un equipo de expertos, pero no comparte los honores de su éxito con nadie.

El marido explorador, que rebusca en el fondo de los armarios y saca todos los trastos que encuentra, por viejos que sean, y los prueba. Normalmente, después de comprobar que no le sirven, los deja regados y sucios por toda la cocina. El explorador no suele requerir ayuda puesto que, al igual que Indiana Jones, es capaz de enfrentarse él solo a los peligros. Sus platos, como los jeroglíficos, son difíciles de comprender.

El marido inventor, que quiere demostrar que los métodos tradicionales son anticuados y obsoletos y busca nuevos usos a los artilugios de cocina. Se les conoce por usar gafas de bucear para pelar cebollas, intentar cocinar salmón en el ciclo de secado del lavaplatos, hacer tortilla de patatas con patatas fritas de bolsa y otras ideas originales.

El marido astronauta, que cuando está en plena misión culinaria, emprende un viaje sorpresa a la Luna y se olvida de que ha puesto algo en el fuego.

¡VA A SER QUE NO!

ALARDE DE MACHO

Todos ellos tienen algo en común:
creen en Mary Poppins y tienen verdadera fe en que va a aparecer y recoger la cocina.

89

¿ADELGAZAR A BASE DE MOJAR EL PAN?

VÍCTIMA DE LA SOCIEDAD

Es normal que a los hombres les gusten las mujeres con buen tipo y buenas curvas, zapatos de tacón alto, el pelo largo, depiladas hasta las cejas y con ropa sexy y femenina. A las mujeres también nos gustan los hombres sin barriga, con abdominales de hierro, bíceps poderosos, sin matas de pelo en el pecho —ni en la nariz, ni en la espalda, ni en las orejas— bien vestidos y afeitados para que no te levanten la piel al besarte como si fuera papel lija. Para conseguir eso, hay que tener en cuenta que:

● Ver deportes en la tele no cuenta como hacer ejercicio.

● El vino y la cerveza engordan, por mucho que digan que un poco de alcohol es bueno para el corazón.

● No hace falta comerse todo lo que se saca a la mesa, aunque queden sobras.

● Las fritangas engordan. Las ensaladas, no.

● No hay nada como jugar en el parque con los niños o sacar a pasear al perro para estar en forma.

¿VALE PAN INTEGRAL?

CON LOS AMIGOS

VAMOS A TOMAR UNA COPA MIENTRAS LA MESA SE RECOGE SOLA

Estás de viaje, compartiendo una casa con amigos de confianza, o cenando en verano en casa de algún familiar. Después de comer, todos los comensales se levantan y, para colaborar, cada uno lleva lo suyo a la cocina. Tu marido, después de llevar su plato y su vaso y dejarlos siempre a una distancia prudencial del lavaplatos, echa un vistazo al comedor y al ver que no queda nada en la mesa dice: "Bueno, pues ya está todo recogido" y se va con los hombres a tomar una copa y jugar a las cartas. De pronto, uno de ellos dice: "¿Hay café?".

Miras a tu alrededor. La cocina está hasta arriba de trastos y de mujeres fregando, secando, recogiendo, guardando las sobras en la nevera, barriendo las migas que se han caído al suelo… y preparando café.

Mientras observas atónita la escena, una de ellas te pasa la cafetera y te dice: "Toma, ¿la puedes llevar al comedor?"

¿Qué haces?

a. Le das con la cafetera en la cabeza a tu marido.

b. Te sirves una tacita de café y dejas la cafetera en la cocina.

c. Le contestas al que preguntó si había café: "Sí, en la cocina".

d. Te vas al comedor, te sientas, te pones un whisky sin hielo y te unes a la partida de cartas, dejando la cafetera en la cocina.

e. Te vas a dormir la siesta a tu cuarto con la cafetera.

Si tu marido es un genio de la cibernética, se le da bien hacer arreglos en la casa, pinta de maravilla, sabe arreglar la cisterna del baño, cuelga los cuadros y quedan perfectamente alineados, pone ventiladores de techo y sabe dónde echar aceite en esa puerta que chirría, aprovecha los tres o cuatro primeros años de casados para que haga todas esas pequeñas reparaciones que tienes en mente. A partir de entonces, para los únicos que hará de forma voluntaria cualquier chapuza que sea necesaria es para los amigos y quizás algún familiar.

Sabiendo esto, tienes dos opciones: puedes seguir peleándote con tu marido para que saque el taladro y te agujeree la pared para colgar el espejo que acabas de comprar, o puedes invitar a cenar a alguna amiga que tenga un marido muy manitas y que esté encantado de echarte una mano y demostrar sus habilidades.

Otra solución es arreglarlo tú misma. Si ellos lo hacen no debe de ser tan difícil, pero oye, qué pereza.

"La manera de bailar de un hombre te da una buena idea de cómo será en la cama. Si te pisa, no tiene ritmo, no te lleva bien y más que moverse al compás de la música parece que está invocando al dios de la lluvia, bueno, pues ya sabes lo que te espera", me comentó una amiga divorciada que llegó a esta conclusión una vez liberada de su fracaso matrimonial. Su ex-marido no pertenecía al grupo de salseros cubanos del Copacabana.

Este descubrimiento me llevó a plantearme varias dudas:

● ¿Cuántos hombres conoces que bailen bien?

● ¿A partir de cierta edad todavía se puede aprender a bailar?

● ¿Si aprenden a bailar se solucionan dos problemas a la vez?

● ¿Dónde está la academia de baile más cercana?

● Después de aprender esto, ¿algún día volveré a ver bailar a los maridos de mis amigas de la misma manera que antes o seguiré sintiendo lástima por ellas?

● ¿Y por qué el marido de Carmen nunca baila?

YO SOY MÁS DE BARRA

Estás en una fiesta, a lo mejor un cocktail de la oficina de tu marido, de esos que pasan muy de vez en cuando y te dan la oportunidad de ponerte ese modelito tan mono y escotado que te compraste hace tiempo y no habías tenido la ocasión de estrenar y esas sandalias de tacón que son ideales pero te están haciendo polvo los pies. Tu marido te ha presentado a su jefe, al que le hubieras dicho más de una verdad pero te callas porque sabes que no es el momento y no están las cosas como para que se quede sin trabajo, también te presenta a sus compañeros de la oficina, incluyendo el que se ha quedado con la vista fija en tu escote, el simpaticón que mientras habla muy alto y se ríe a carcajadas no para de darle manotazos en la espalda al pequeñín que tiene al lado y el pobre no es capaz de tomarse su copa, a las compañeras de trabajo que te han mirado de arriba abajo y sabes que una de ellas se ha percatado de que te están saliendo las canas que te ibas a haber teñido en la peluquería esa misma mañana, pero al final no pudiste ir porque tu hijo se puso enfermo y le tuviste que llevar al pediatra.

La noche no va mal, pero te siguen doliendo los pies, estás pensando en cómo estará tu hijo y estás un poco harta de oír anécdotas de la oficina que solo a ellos les interesan.

De pronto, tu marido, con una copita de más, dice muy alegre:

—Mañana: ¡todos a comer a casa!

En ese momento, la aceituna de tu Martini se te queda atascada en la garganta y empiezas a ponerte morada. No puedes hablar, toses y te retuerces mientras oyes cómo a todos les parece un plan estupendo y se van apuntando.

—Sí, a las dos está bien —añade tu marido—. No, no te preocupes, no tienes que traer nada. Ya se nos ocurrirá algo. Que no, que ningún problema, que a Ana le parece estupendo. ¿A que sí Ana? ¿Ana? ¿Ana?

Tú no es que estés asintiendo, en realidad te estás convulsionando para intentar sacar la aceituna y poder recuperarte.

—¿Ves? Bueno, pues no se hable más. Mañana a las dos. Y que vengan también los niños, por supuesto.

Cuando consigues volver a respirar es demasiado tarde. Al día siguiente tienes veinte personas a comer en casa y un marido que va estar en la cama toda la mañana, recuperándose de la resaca, de tus gritos y de haber dormido esa noche en el sofá...

Moraleja: Nunca te comas la aceituna del Martini. Siempre que vayas a una reunión de este tipo, asegúrate de que tienes una buena excusa preparada para evitar las invitaciones espontáneas de tu marido.

ALARDE DE MACHO

EL FÚTBOL Y OTROS JUEGOS DE PELOTAS

Dicen que no es lo mismo veintidós tíos en calzoncillos detrás de una pelota que veintidós tíos en pelotas detrás de un calzoncillo, pero si me preguntas a mí, la segunda opción me parece mucho más divertida y original. A lo mejor con programas así las mujeres también nos animaríamos a pasar tardes y tardes viendo deportes en la televisión.

¡Imagínatelo!

¿QUIÉN SE SIENTA DELANTE?

Los responsables de esta situación no son siempre los hombres, aunque me pareció oportuno añadirla aquí. Cuando dos parejas van a meterse en un coche, por alguna razón que no acabo de comprender, los hombres se sientan delante y las mujeres detrás. En otras ocasiones, cuando una pareja va en su coche y recoge a otra, la mujer que iba en el asiento de al lado del conductor, se levanta, le cede su sitio al marido de la otra pareja y se sienta detrás con su amiga.

¿Por qué?

¿Por qué nunca es al revés?

¿Por qué me tengo que sentar yo en el asiento de atrás cuando es mi coche, me mareo y encima no veo nada?

MEA CULPA EST

De verdad que a veces somos tontas...

ERES TONTA

TODOS los hombres tienen una verdadera fijación con las tetas. Si tienes entre 18 y 40 años y no te han hecho ofertas para protagonizar una película de miedo sin maquillaje, en algún momento durante tu conversación con un hombre, él ha pensado en las tuyas y se ha preguntado cómo serán. No solo eso, sino que está casi socialmente aceptado que hablen abiertamente con otros sobre el tema (no de las tuyas en concreto, sino de las de famosas o desconocidas que se cruzan por el camino).

¿Qué opinarían los hombres si las mujeres empezáramos a silbar y a decir barbaridades refiriéndonos al paquete de un actor o de cualquiera que pase por delante?

¿Cómo se sentirían ellos si en lugar de mirarlos a los ojos les miráramos ahí abajo?

CON LOS HIJOS

SE NOTA QUE ESTE HIJO ES MÍO

La siguiente información puede causar grandes decepciones en los padres, sobre todo los primerizos. Todos los bebés al nacer suelen tener los genitales inflamados. Todos. Tanto las niñas como los niños. La explicación técnica en los niños recién nacidos es que el escroto (la bolsa donde se encuentran los testículos) se llena de líquido, que va a ir desapareciendo en los siguientes meses. Esto es normal y no es un índice de la futura masculinidad del bebé. También es normal que los bebés tengan erecciones justo antes de hacer pis. Eso no les hace más machos.

Pues bien, a pesar de esto, la gran mayoría de los padres, cuando ven a su hijo recién nacido con esos testículos tan grandes o con una erección, hinchan el pecho con orgullo y no pueden evitar hacer comentarios tipo: "Cómo se nota que es hijo mío".

¡SI ES QUE ES IGUALITO QUE SU PADRE!

Triste, pero cierto.

ALARDE DE MACHO

LAS NORMAS ESTÁN PARA SALTÁRSELAS

Los maridos muchas veces son como niños. Esta es una historia real:
"Si no te acabas las verduras, no puedes tomar helado de postre", le dice una madre desesperada a su hijo que lleva media hora masticando el mismo trozo de comida en la boca y no hay manera de que se termine la cena. Encima el niño está muy delgado y su madre sabe que necesita hasta el último bocado para hacerse fuerte y que no se ponga enfermo.

El padre llega a la cocina. Ve la situación: niño medio lloroso, mirando hacia abajo, madre de espaldas recogiendo la cocina de mal humor.

¿Y qué hace el padre? ¿Le dice a su mujer: "Venga, ve a descansar un rato que ya me encargo yo?" ¿Habla con el niño para que trague de una vez? ¡Por supuesto que no!

El padre, cuando su mujer no mira, ¡se come las verduras!

¡A eso se le llama ayudar!

MI HIJO, TU HIJO

Hay que reconocer que los tiempos han cambiado. En la época de mis abuelos, los hombres jamás cambiaban un pañal, ni bañaban a sus hijos ni les daban de comer. Ellos iban a trabajar y cuando volvían, los niños les saludaban ya limpios, comidos y bañados. Afortunadamente ahora muchos maridos colaboran a la hora de educar y criar a sus hijos.

Aquí va un pequeño cuestionario para ver lo involucrado que está tu marido en la vida de vuestros hijos:

Tu hijo/a
¿En qué curso está?
¿Cómo se llama su profesor/a?
¿Cómo se llama el pediatra?
¿Lo podrías describir?
¿Qué talla de zapatos usa? (El niño, no el pediatra)
¿Cuándo fue la última vez que fue al dentista?
¿Su dentista es un hombre o una mujer?
¿Qué días tiene actividades extraescolares?
¿Con qué niño/a se ha peleado últimamente en el colegio?
¿Qué está estudiando en matemáticas?

¡ME PIDO EL COMODÍN DE LA LLAMADA!

TRAUMA INFANTIL

Ya, ya sé. Son preguntas muy capciosas...

ANDA, VE CON MAMÁ

Por mucho que queramos, los niños no vienen con un interruptor para encenderlos y apagarlos a nuestro antojo; sin embargo, muchos maridos piensan que sí lo tienen y que se llama "ve con mamá".

Normalmente recurren a él en las siguientes situaciones:

- Cuando hay que explicarles la historia de la cigüeña y de las semillitas y las flores.

- Cuando, después de haber jugado con sus hijos unos veinte minutos, les duelen las rodillas de estar en el suelo.

- Cuando, mientras les leen un cuento, miran sus correos en la Blackberry® y se dan cuenta de que tienen que contestar un mensaje urgentemente.

- Cuando quieren leer el periódico los domingos por la mañana como si vivieran en una isla desierta.

- Cuando estás haciendo la cola para facturar las maletas en el aeropuerto y los niños empiezan a correr por todas partes.

- Cuando están en un lugar público y el niño o la niña dice: "Quiero hacer caca".

- A la hora de la siesta.

119

—Mi papá es más alto que el tuyo —dice Luis.

—No, el mío es más alto —dice Juan.

—De eso nada, el mío es más alto —contesta Luis.

Y así siguen durante un buen rato.

—Mi papá es tan alto que cuando estira los brazos toca las nubes —dice Luis.

—¿Y son blanditas? —pregunta Juan.

—Sí —dice Luis.

—Ah, eso no son las nubes, son los huevos de mi papá.

¿Por qué los hombres se ponen tan contentos cuando terminan un puzzle en dos meses?

Porque en la caja pone de tres a cinco años.

DE VIAJE

TU BOLSA DE VIAJE CON SUS COSAS

Muchos hombres dicen que las mujeres siempre nos estamos quejando de que nos duele la espalda. Me pregunto qué pasaría si ellos llevaran tacones, pasaran por varios embarazos, llevaran los niños a cuestas y ¡usaran bolso para llevar nuestras cosas!

"¿Pero qué llevas en esa bolsa?" me pregunta mi marido cuando vamos a la playa.

Le miro. Está en traje de baño, con una camiseta y las llaves del coche en la mano. Nada más.

Miro dentro de mi bolsa: las toallas (para mí y para el que dice que no necesita toalla), el periódico (que va a leer él), la crema de sol (que va a querer que le ponga por la espalda), su cartera (porque no se la va a meter en el bolsillo del traje de baño…), las gafas y aletas (ya sabemos de quién), mi teléfono móvil y el suyo (claro, para que no se moje), las palas y la pelota (para jugar a las palas hacen falta dos) y una gorra (que se pondrá solo cuando pase la rubia estupenda y quiera esconder su calva incipiente).

Realmente, no sé por qué nos duele siempre la espalda.

CÓMO METER LAS MALETAS EN EL COCHE Y ENRIQUECER EL VOCABULARIO DE TUS HIJOS

A los hombres secretamente les gusta el reto de meter diez maletas en un maletero donde solo caben tres. Se entretienen con las distintas combinaciones, poniendo la cuadrada aquí, la alargada allá y la pequeña encima, después hay que sacarlas porque se habían quedado cuatro fuera, y volver a empezar. Cuando llevan un buen rato se suelen frustrar un poco y te preguntan "¿pero es que piensas que vas de mudanza?" y cosas por el estilo, pero ellos no abandonan. Más adelante empiezan a sudar, a ponerse rojos y decir todo tipo de barbaridades. Tú tranquila, no te preocupes. Están disfrutando. Acuérdate de que cuando ven deportes en la tele también insultan a los jugadores de su propio equipo y eso no quiere decir que no les guste.

Ellos se lo pasan bien así. Seguramente, mientras siguen intentándolo, deberías alejarte y llevarte a los niños a una distancia prudencial para no distraerlos. Si tu hijo te pregunta qué le pasa a su padre, dile que ya ha empezado a disfrutar de las vacaciones. Una vez que lo haya conseguido (siempre lo acaban consiguiendo), comenta lo bien que lo ha hecho, aunque tengas que sacar los pies por la ventanilla y los niños tengan que ir sentados unos encima de otros. Todo sea por la paz familiar.

¡VÁMONOS YA!

Las vacaciones se supone que son para relajarse, para disfrutar y olvidarte de los horarios, las tensiones, las prisas... Entonces ¿por qué el día que sales de viaje hay que salir a una hora determinada y ni un minuto más tarde? ¿Qué tiene de malo si a los quince minutos de haber salido te das cuenta de que se te han olvidado algunas cosas y tienes que dar media vuelta para cogerlas? Y bueno, ya que estás, no pasa nada si aprovechas para pedirles a todos que vuelvan a salir del coche y vayan al baño, ¿no? También de paso, compruebas una vez más que has dejado el gas y el aire acondicionado apagado y todas las ventanas bien cerradas.

Cuando te vuelves a poner en camino, ¿por qué los niños tienen que aguantar seis horas en el coche sin estirar las piernas ni hacer pis? ¿Y por qué no podemos parar en la carretera para hacer fotos de los niños con el rebaño de ovejas tan mono que has visto a lo lejos?

Por algún motivo, todos estos pequeños contratiempos hacen que los maridos se pongan hechos una furia.

ALARDE DE MACHO

Son ganas de estresarse por gusto.

EL PROFESOR DE AUTOESCUELA

La póliza del seguro del coche de las mujeres es más barata porque tenemos menos accidentes y conducimos mejor y con más cuidado. Aun así, los maridos se empeñan en recordarnos lo que tenemos que hacer. La mejor manera de describir esta situación es con este chiste:

Una mujer entra en la cocina y se encuentra a su marido friendo un par de huevos.

—¡Cuidado! —le grita—. ¡Que no se te peguen!

Pero ¿has puesto sal? ¡LA SAL! ¡Tienes que poner sal! ¡SAAAAAAAAAL!

El aceite, vigila ese aceite, que se te queman, ¡que te digo que se te van a quemar!

Con más cuidado. Despacio. Ese fuego está demasiado fuerte. ¡EL FUEGO! ¡Atención! ¡Ahora! ¡Ahora! ¡Dales la vuelta! ¡YA! ¡La vuelta! Con la espátula de metal no. ¡La de plástico! ¡ESA NOOOO! ¡NOOOOOO!

El marido la mira aturdido y agobiado con tanto grito y le dice:

—¿Pero a ti qué te pasa? No es la primera vez que frío unos huevos.

—Ya, era solo para que te hicieras a la idea de cómo me siento yo cuando llevo el coche y tú vas a mi lado.

EL ATAJO QUE NADIE CONOCE

La mujer cuando va de un sitio a otro, prefiere lo seguro, el camino que se sabe bien, que seguramente es más corto y nunca falla. El hombre, sin embargo, tiende a explorar esa ruta que nadie conoce ni se atrevería a tomar (por algo será). Funciona más o menos así:

ANTES MORIR QUE PREGUNTAR

ALARDE DE MACHO

Ya es hora de que alguien diga la verdad: Cristóbal Colón se equivocó. Metió la pata hasta atrás. Nunca llegó a las Indias porque como buen hombre que era, no se le ocurrió preguntar a los vikingos (que según las malas lenguas ya habían surcado esos mares y habían ido y vuelto a las Américas en varias ocasiones) si por ahí iba bien. El caso es que se perdió, pero le contó mil milongas a Isabel la Católica para justificar que no había conseguido terminar el trabajo por el que ella le había pagado, le dio la vuelta a la historia y consiguió vanagloriarse por el famoso "descubrimiento".

Si eso lo hubiera hecho hoy, le habrían puesto de patitas en la calle por inútil porque francamente, si te vas de vacaciones por ejemplo a Granada y tu marido se equivoca de autopista y terminas en Barcelona, tú no te tragarías que la solución es llamar a los barceloneses granadinos y pretender que la Sagrada Familia es la Alhambra, ¿no?
Si es que no cuesta nada preguntar...

ESTE... LINDO CLIMA ¿NO?

Hecho real

La historia está llena de hombres que por no preguntar han acabado en sitios de lo más disparatados. Por ejemplo, en 1938, un piloto llamado Douglas Corrigan iba a volar desde Nueva York a California, pero resulta que leyó mal la brújula ¡y acabó en Irlanda! Increíble pero cierto.
Para que luego te fíes.

ESAS COSAS QUE DICE (O QUE DEJA DE DECIR)

¡OLVÍDALO! JAMÁS NOTARÁ TU CORTE DE PELO

110

Después de llevar el pelo largo durante diez años, decides aventurarte y cortártelo. Vas a una buena peluquería y, doscientos millones más tarde, te dejan estupenda, con un corte original, sin canas y unas mechas rubias que te hacen parecer mucho más joven. Cuando sales, quedas con unas amigas y todas te dicen que te queda fenomenal. De vuelta a casa, paras en la panadería y la dependienta se da cuenta enseguida y te comenta lo favorecida que estás. El portero también lo nota. "Señora, qué cambio de imagen", dice. No sabes si eso es bueno o malo, pero está claro que lo ha notado. En el ascensor la vecina te pregunta dónde te lo has cortado. Con tantos comentarios, te sientes casi como una modelo en una pasarela. Abres la puerta de casa, feliz y radiante, saludas a tu marido sonriente esperando que se quede impresionado y te diga algo de tu nuevo look. Él te mira y al cabo de un rato dice:

"¿Dónde estabas? Estoy muerto de hambre, ¿cenamos ya?"

Por la noche, cuando te metes en la cama, sigue sin entender por qué estás de mal humor.

¡YA SÉ! ¿BOLSO NUEVO?

VÍCTIMA DE LA SOCIEDAD

141

¿SE ACABARON LAS PALABRAS AGRADABLES Y CARIÑOSAS?

Esto no es ficción ni sacado de una telenovela. Es un hecho real. Conozco un señor que después de cincuenta años de casado, todavía le lanza piropos a su mujer. "Teresita —le dice—, hoy estás guapísima", "Pero mira qué elegante te has puesto"... y cosas así. Cuando se sienta a la mesa a comer, reacciona con ilusión ante cualquier plato que le haya preparado su mujer: "¡Ay, tortilla, qué bien! Justo lo que me apetecía comer hoy", "Este guiso de pescado te ha quedado riquísimo".

Qué envidia, ¿no?
Qué triste es que con el paso de los años, las palabras agradables se vayan perdiendo. Los "te quieros" dan paso al "¿hoy también te duele la cabeza o qué?", los "estás muy guapa" se sustituyen por el "vas a tener que ponerte las pilas con la dieta", los "gracias por ayudarme con la maleta" se convierten en "es que en esta casa no hay quién encuentre nada", los "qué rico te ha salido este plato" acaban en "pásame la sal que esto está muy soso".

Si queremos historias de amor, vamos a tener que seguir comprándolas en las librerías.

ALARDE DE MACHO

¿POR QUÉ ESTÁ TAN CALLADO? ¿ESTARÁ PENSANDO?

¡Claro que no! ¡Qué cosas tienes! Las mujeres tendemos a analizar y darle vueltas a todo, seguramente más de lo necesario. No somos capaces de sentarnos relajadamente y dejar el cerebro en blanco. Por ejemplo, mientras bañas a tu hijo, puedes estar pensando: "Que no se me olvide felicitar mañana a mi cuñada por su cumpleaños. Y tengo que volver a llamar al de la secadora, que iba a venir a repararla hoy y no ha aparecido. ¿A ver qué hora es? Ya debe de estar listo el pollo que he dejado en el horno.

¡HOLA! ¿HAY ALGUIEN AHÍ?

Dentro de dos días hay que mandar el segundo pago del campamento de Patricia. Esta misma semana tengo que empezar a buscar los billetes para el verano, porque sino, nos van a salir carísimos como el año pasado. Mañana en la reunión de la oficina viene el gran jefe y espero que me salga bien la presentación. Ay, mira, si ya le ha salido un diente. A ver si le llevo al pediatra esta semana para que le mire ese lunar que tiene en la espalda".

Como nuestra cabeza funciona así, a veces pensamos que la de nuestros maridos también. Si los vemos callados, no solo creemos que están pensando sino que además ¡queremos saber lo que piensan! ¿Estará dándole vueltas a la discusión que tuvimos el otro día, estará pensando en el trabajo o es que está preocupado porque vio a nuestro hijo de un año jugar con una muñeca el otro día?

¡Tranquila! Tu marido no piensa en nada de eso. Si no habla ni reacciona, ¡es porque no está pensando nada! ¡Nada de nada! No le des más vueltas.

TRAUMA INFANTIL

145

LOS REGALOS

¿PERO TÚ ME VES CON ESTO?

"Cuando éramos novios, mi marido me hacía unos regalos estupendos, bolsos de marca muy elegantes, ropa que me quedaba muy bien, joyas... —me cuenta una amiga—. Una vez que nos casamos, la calidad de sus regalos bajó de manera abismal. Fue al empezar a recibir estos regalos de gusto dudoso cuando me di cuenta de que en realidad él nunca me había comprado nada, la que compraba esos primeros regalos ¡era su madre!".

"Durante los primeros años de casados —dice otra amiga—, mi marido se empeñaba en comprarme ropa que no me pegaba para nada. ¿Es que él quería verme con eso? ¿Es que no se había fijado en cómo me vestía? ¿Es que era ciego? Al principio disimulaba, me lo ponía una vez y después lo enterraba en el armario. Hasta que un día ya no pude más y cuando me dijo, 'Oye, ¿por qué no te pones el vestido que te regalé?' Le tuve que confesar '¡ES QUE NO ME GUSTA!' Y se acabó el problema".

"Cuando es el cumpleaños de mi marido, me compro un picardías o algo sexy que me apetezca, me lo pongo y le digo: 'Mira lo que te he comprado por tu cumpleaños'".

"No hay nada peor que tu marido te regale algo de ropa que se pondría su madre".

"Bueno, que te regale algo tres tallas más grandes tampoco tiene desperdicio…".

Para resumir:
¡Es que no dan una!

¡AY! ¡A MI ME ENCANTA!

ES CULPA DE SU MADRE

DETALLES DE FAMILIA

Entiendo que yo me tenga que encargar de comprar los regalos de mis familiares. Es normal. También es probable que me toque comprar los típicos regalos para las profesoras, la señora de la limpieza, la vecina que nos regó las plantas en verano... Si hago un esfuerzo, puedo incluso llegar a entender que en Navidad yo soy la que va a comprar los regalos de nuestros hijos. Al fin y al cabo, paso muchas más horas con ellos y seguramente sepa mejor lo que quieren.

Por otro lado, así quizás evitaría que el niño de diez años acabe con una navaja de Swiss Army o con ese coche de control remoto que siempre quiso su padre o con la batería infernal que va a aporrear cuando su querido papá no esté en casa...

Ahora bien, ¿por qué me tengo que encargar yo también de comprar los regalos para su madre, para sus hermanos, para esa parienta lejana que no he visto en mi vida, para su secretaria, para el cumpleaños de su amigo, para el amigo invisible que han hecho en su oficina y muchos otros más?

Las tiendas no prohíben el paso a los hombres. Es más, suelen tener dependientes muy agradables que están dispuestos a ayudar a seleccionar el regalo perfecto para todas esas ocasiones.

¡Oye! ¡A lo mejor la solución es hacerlo mal! ¿Qué le parecería si le regalaras a tu suegra un certificado de regalo para que se haga un tatuaje? ¿Y a su amigo una película de amor romántica? ¿Y a su tía abuela una faja con un libro sobre cómo ponerse a dieta?

SU
MADRE

¿A QUÉ NO SABES QUIÉN VIENE A QUEDARSE UNOS DÍAS?

ES CULPA DE SU MADRE

¡Nooooooooooooo! ¡Su madre nooooooooooooo!

¿Por qué tu marido piensa que no te va a importar tener a su madre en casa unos días? Estos podrían ser algunos de sus argumentos:

"Así te hace compañía…" Un perro hace compañía, la televisión encendida hace compañía, ver cómo da vueltas la lavadora hace compañía… Su madre, no.

"Así te ayuda con los niños…" El tener que vestir a los niños con esos jerseicitos hechos a mano que pican y esas camisitas de chorreras que hay que planchar, no es ayudar con los niños. El discutir sobre si el bebé tiene frío o calor, no es ayudar con los niños. El que las rutinas, las comidas y las normas de la casa tengan que cambiar por completo, no es ayudar con los niños. El hablar de los modales y lo que "habría" que hacer, no es ayudar con los niños.

"Así te enseña a hacer ese guiso tan rico…" Ya, lo que pasa es que yo no tenía ninguna intención de hacer ese guiso tan rico. Nunca.

"Es que la pobre está muy sola y se aburre…" ¿Y quién soy yo, el show de los payasos? ¿Y no le gustaría aprender a pintar? ¿No hay voluntariados que se pueden hacer a su edad para ayudar a gente NECESITADA? ¿No puede irse de crucero alrededor del mundo? ¿No sería eso más entretenido?

"Si total, son solo dos semanas…" Como dice mi hermana "Los invitados son como el pescado, al tercer día ya empiezan a oler…" (Curiosamente esto me lo dijo cuando me estaba quedando en su casa una semana… no sé si me quería decir algo). Dos semanas de tertulia continua, sin poder ir por tu casa como tú quieres, sin poder comer viendo la televisión en el canal que a ti te gusta, sin poder salir y entrar cuando te apetezca es una eternidad.

"Si tú y ella os entendéis muy bien…" Precisamente por eso. Para que sigamos entendiéndonos bien, lo mejor es que cada una se quede en su casa.

La madre de tu marido es una mujer estupenda, amable, educada y no se mete para nada en tu vida. A lo mejor debería ir con él a la oficina durante esas dos semanas para que pasen más tiempo juntos.

MI MADRE NO LO HACE ASÍ

TRAUMA INFANTIL

Nunca caigas en la tentación de intentar preparar para tu marido uno de los platos que hacía su madre cuando él era pequeño. Es un grave error. Para empezar, a pesar de que sigas la receta que te ha dado tu suegra, lo más seguro es que haya omitido (involuntariamente, por supuesto) algún ingrediente, con lo que nunca te va a quedar igual, y lo que en principio parecía una gran idea, acabará en una gran decepción cuando tu marido te diga algo así como "Está rico, pero no es igual que el de mi madre" y tú quieras atizarle con la fuente en la cabeza.

Si por otro lado, el plato no solo te ha salido bien, sino que además has conseguido mejorar la receta, le vas a dar más motivos a tu suegra para aborrecerte. La comida era de las pocas cosas que todavía le quedaban para que su hijo fuera a verla y vas tú y lo fastidias todo. En la próxima receta que te dé, no te sorprenda si cambia algún ingrediente y por ejemplo te dice que pongas vinagre en vez de aceite...

Solución:
Cuando tu marido se encuentre nostálgico y tenga ganas de comer los guisos de su infancia, puede hacer dos cosas: ir a visitar a su madre o aprender a cocinarlos él mismo.

OTRAS MANÍAS

OTRAS MANÍAS

OTRAS MANÍAS

Nota de la autora

Querida lectora o lector:

Espero que este libro te haya entretenido y te haya hecho sonreír por lo menos una vez ¡porque esa era mi intención! Yo, desde luego, me lo he pasado muy bien compartiendo historias con mis amigos y metiéndonos con las manías de unos y otros. Ahora que ya sabes lo que pensamos muchas mujeres, a lo mejor quieres saber lo que piensan los hombres de nosotras. No te pierdas mi otro libro: *50 cosas que no soporto de mi mujer*. Muchas de ellas te las imaginas, pero te aseguro que hay otras que te sorprenderán.

¡Me encantaría oír tu opinión! Si quieres enviarme cualquier comentario, idea, compartir tus historias o simplemente mandarme un mensaje para decir "hola", me puedes enviar un correo electrónico a ana@anagalan.com. No hay nada mejor para una autora que poder estar en contacto directo con sus lectores y saber lo que opinan de sus libros (sobre todo si es bueno).

Nos vemos en el siguiente libro.

Atentamente,

Ana